Pour Paul.
À tes premiers pas dans la vie, mon petit lièvre !
Ta maman.
A. B.

www.editions.flammarion.com

© Père Castor Flammarion, 2008
Éditions Flammarion – 87, quai Panhard et Levassor – 75647 Paris Cedex 13
Imprimé en Belgique par Proost – 08-2008
Dépôt légal : octobre 2008 – ISBN : 978-2-0812-0631-1
Loi n°49-956 du 16 juillet 1949 sur les publications destinées à la jeunesse.

3 petits brins d'herbe

Nadine Brun-Cosme
Aline Bureau

Père Castor ● Flammarion

Petit Lièvre est tout petit.
Petit Lièvre ne saute pas. Petit Lièvre ne sort pas.
À l'entrée de son terrier, il y a trois brins d'herbe.
Depuis qu'il est né, à l'entrée de son terrier,
il y a toujours eu trois brins d'herbe :
le brun, très doux, qui aime voleter dans le vent ;
le rose, très tendre, qui change de couleur
à mesure que le soleil tourne sur l'horizon,
et le vert, qui ne bouge sous aucun vent,
qui ne change sous aucun soleil,
Le vert qui est là, tout simplement.

Chaque matin, ils sont là,
tous les trois, à l'entrée du terrier,
dans le soleil et sous le vent.
Petit Lièvre leur parle.
Petit Lièvre pose sa joue tout contre eux
pour de très légers baisers.
Petit Lièvre tend son museau
pour de petits guilis.

Puis un jour, est-ce parce que tout à coup il est un peu plus doux ?
Est-ce parce que tout à coup il parle un peu trop fort ?
Le vent volette dans le brin d'herbe brun, et d'un coup le détache.
Et il l'emporte au loin, jusqu'au ciel, puis jusqu'à l'horizon.

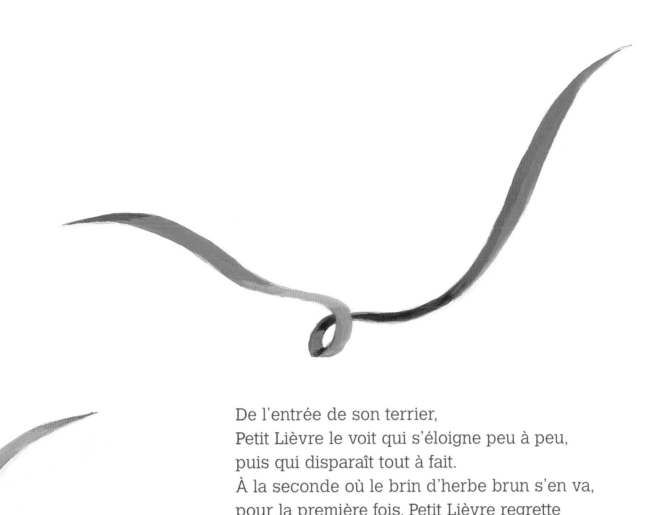

De l'entrée de son terrier,
Petit Lièvre le voit qui s'éloigne peu à peu,
puis qui disparaît tout à fait.
À la seconde où le brin d'herbe brun s'en va,
pour la première fois, Petit Lièvre regrette
d'être trop petit pour oser sortir.

À l'entrée de son terrier, à présent,
il y a deux brins d'herbe :
le rose, qui change doucement de couleur
à mesure que le soleil avance ;
le vert, qui ne bouge pas, qui ne change pas.

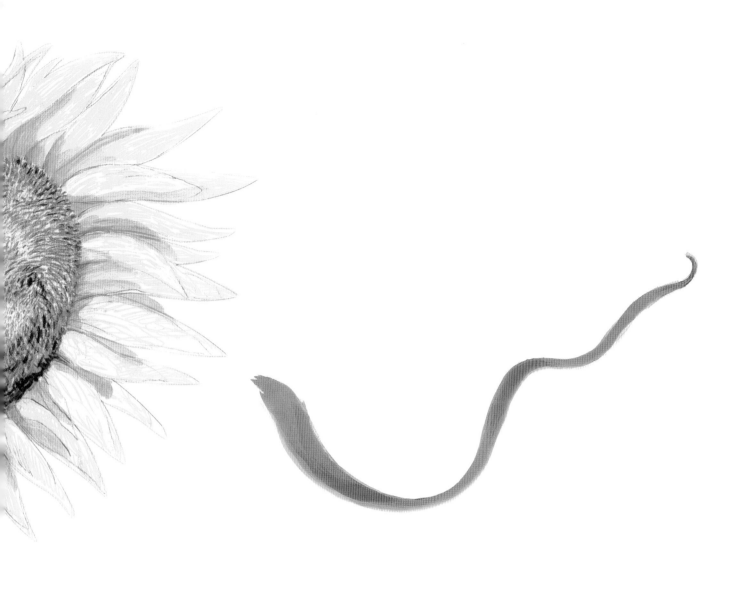

Puis ce jour-là de grand soleil,
est-ce parce que tout à coup il tourne un peu plus vite ?
Est-ce parce que tout à coup il chauffe un peu trop fort ?
Le brin d'herbe rose rougit, de plus en plus, rougit comme jamais,
et d'un seul coup d'un seul, il sèche et se détache, et se met à rouler.

Petit Lièvre le voit descendre doucement la colline en roulant,
là-bas, tout là-bas, tout en bas, puis disparaître.
À la seconde où le brin d'herbe rose s'en va,
pour la première fois, Petit Lièvre regrette
d'être trop petit pour oser sauter.

À l'entrée de son terrier, à présent,
il y a juste un brin d'herbe.
Le vert. D'un joli vert très tendre.
Il ne bouge pas. Il ne change pas.
C'est son tout petit brin d'herbe tout seul à présent.
Petit Lièvre sent qu'il l'aime trois fois plus fort.

Maintenant,
Petit Lièvre est un peu grand.
Il commence à sortir.
Pas loin. Pas trop loin,
de peur de perdre de vue
son petit brin d'herbe vert.

Petit Lièvre commence à sauter pour descendre la colline.
Mais il ne descend pas trop bas.
Juste assez bas pour voir encore son petit brin d'herbe vert.

Et Petit Lièvre sort, et il saute,
et il descend la colline.
Jamais trop bas, jamais trop loin.
Et il reste petit.

Puis un matin,
un beau matin sans soleil et sans vent,
à l'entrée du terrier,
Petit Lièvre ne voit plus rien.
Il a beau regarder loin, très loin,
il a beau regarder bas, très bas, rien.
Rien de rien.

Alors, Petit Lièvre regarde la place vide
du petit brin d'herbe brun
qui bougeait sous le vent.
Petit Lièvre regarde la place vide
du petit brin d'herbe rose
qui changeait sous le soleil
Puis il regarde la place vide
du petit brin d'herbe vert
qui ne bougeait pas, qui ne changeait pas,
et qui s'en est allé quand même.

Alors Petit Lièvre sent qu'il est temps.
Et, prenant son élan,
il descend à grands bonds la colline,
bien décidé cette fois à aller…
jusqu'en bas.